MQF
La Maison
de Quartier
de Fabreville

D1432875

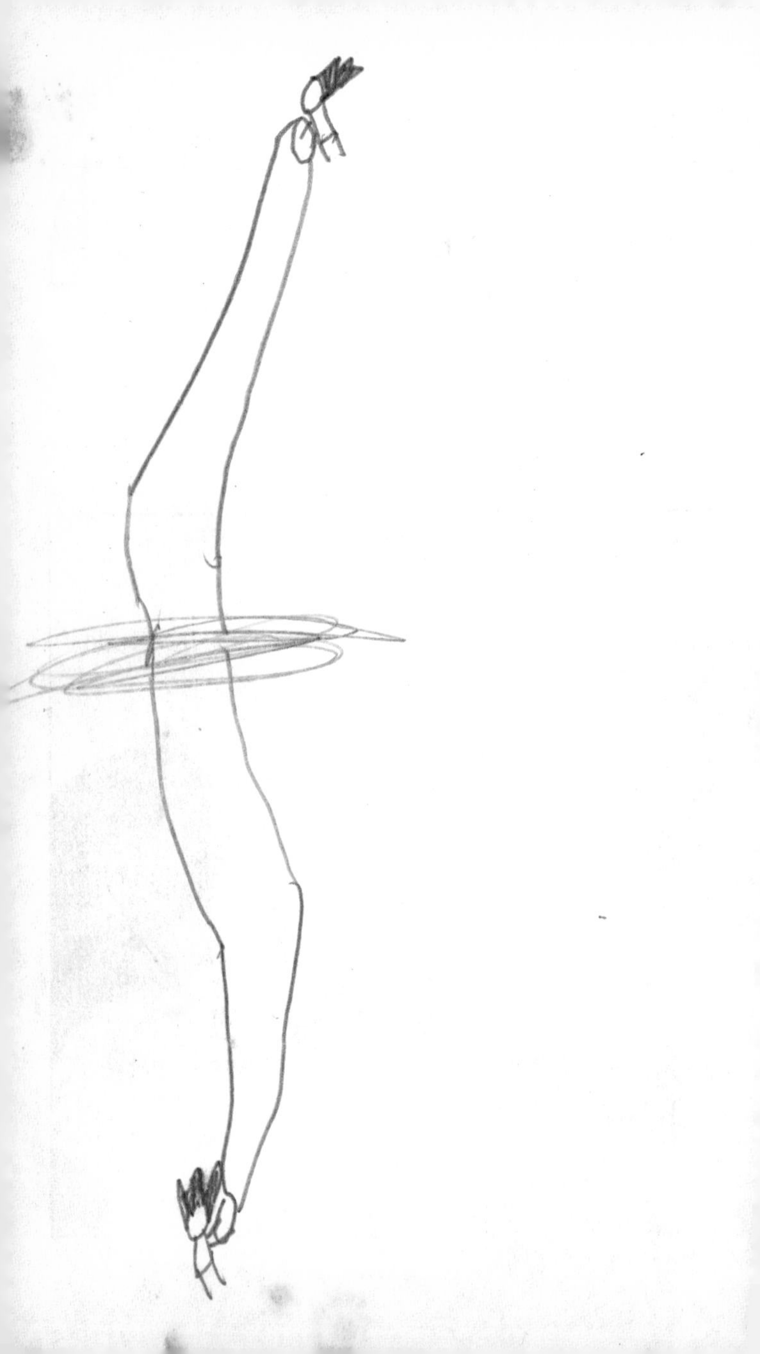

YAJIROBÉ

Dragon Ball 20

Traduction : Kiyoko Chappe
Lettrage : Yvan Jacquet/Fabrice Bras

BP 177, 38008 Grenoble cedex.
ISBN 2.7234.1923.1
Dépôt légal : mai 1996
Imprimé en France par Maury-Eurolivres
45300 Manchecourt

POUR PROTÉGER SES AMIS, SANGOKU DÉCIDE D'AFFRONTER VÉGÉTA DANS UN ENDROIT ISOLÉ...

IL SOURIT...! IL BLUFFE OU IL EST VRAIMENT CAPABLE D'AUG-MENTER SA PUISSANCE...?

LES DEUX ADVERSAIRES S'EXAMINENT AVANT DE SE LANCER DANS UNE LUTTE SANGLANTE.

TU ÉTAIS À FOND, PAS VRAI...? MAINTENANT, C'EST MON TOUR... JE VAIS TE MONTRER...
...LA FORCE REDOUTABLE DE L'ÉLITE SAÏYENNE...!

G..RR

HAAAAAH !!

VAS-Y...!
HÉ HÉ... C'EST TON DERNIER SOURIRE...

BOUM

ZIP

PAF
YAAAAH

ZIP
KUUH !!

KIIH !

DERRIÈRE TOI, CRÉTIN !!

ZIP

ZIP

!!

ZIP
ZIP

!!
DOU-
BLE
KAÏO-
KEN
!!

NIIIH !

!!
AAAH !!
BZZZZZ

PEUF
PEUF

HÉ HÉ HÉ...
TU L'AS ESQUIVÉ...! BRAVO...!

CETTE VITES-SE...! CETTE FORCE ...!
ZUT ...!

...ET LE DOUBLE KAÏOKEN QUI NE MARCHE PAS SUR LUI...!

TOC
TOC

ZIP

BON... JE N'AI PLUS LE CHOIX ...!
KRAK

...MÊME SI MON CORPS DOIT EN SUBIR LES CONSÉ-QUENCES...
...JE VAIS TENTER LE TRIPLE KAÏOKEN ...!

HÉ HÉ HÉ... MA DERNIÈRE TECHNIQUE ÉTAIT VOLON-TAIREMENT FACILE À ESQUIVER !
JE NE VOUDRAIS PAS QUE TU MEURES TROP VITE...
...

...

J'ASSISTE À LEUR COMBAT, ILS L'ONT COMMENCÉ PRÈS DE CHEZ MOI...
CE QU'ILS SONT FORTS...! C'EN EST PRESQUE UN CAU-CHEMAR...

ALORS, CAROT...? ON Y VA...?
...OU TU N'EN PEUX DÉJÀ PLUS...?
IL FAUT QUE JE LE FASSE, SINON JE SUIS PERDU...!

COMMENT MON CORPS VA-T-IL RÉSISTER AU TRIPLE KAÏOKEN...?

Z... ZUT... LE COMBAT TOURNE EN FAVEUR DU SAÏYEN... JE FERAIS MIEUX DE FICHER LE CAMP...

...MÊME EN T'ENTRAÎNANT MILLE ANS ! AU FOND, TU N'ES QU'UN RATÉ ! TU AS REPOUSSÉ L'INSTANT DE TA MORT, C'EST TOUT !
JE SUIS LE PRINCE DES SAÏYENS, TU NE SERAS JAMAIS DE TAILLE CONTRE MOI...!

?!

...A-A-A-A

TRIPLE KAÏOKEN !!
QUE MON CORPS TIENNE LE COUP !

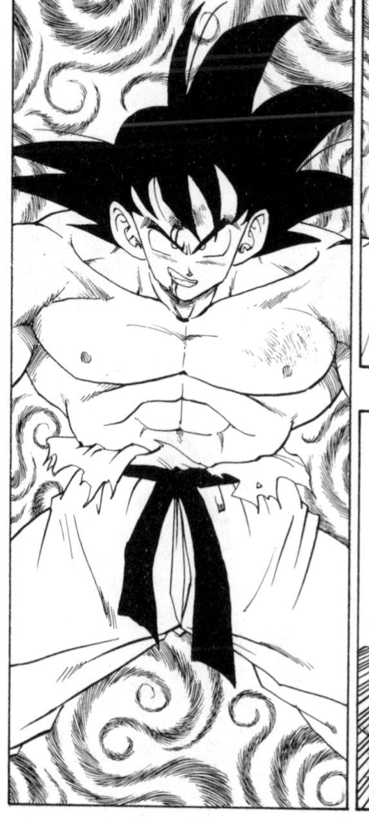

ARRÊTE, SANGOKU ! NE DÉPASSE PAS LE DOUBLE ...!
Z... ZUT...!

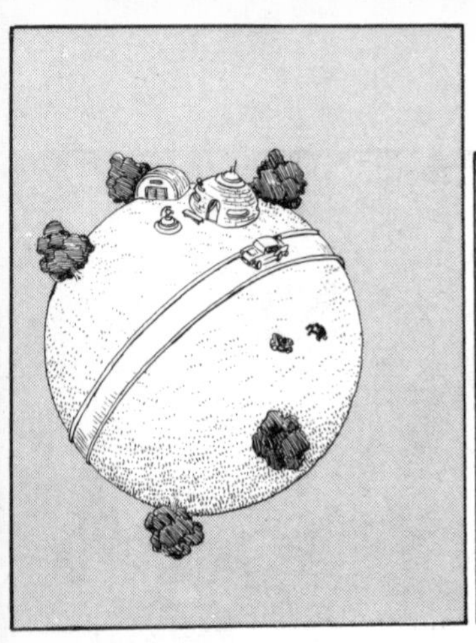

JE N'IMAGINAIS PAS QUE LES SAÏYENS ÉTAIENT SI FORTS...
TOUTEFOIS, IL NE POURRA PAS GAGNER SANS ÇA...

AAAAAAH...!
IL SE PEUT QUE SANGOKU PERDE CE COMBAT...!

TING

PLAF

!!

ZIP
POUM

BOUM
ZIP
FLOP

KUUH !!
ZIP

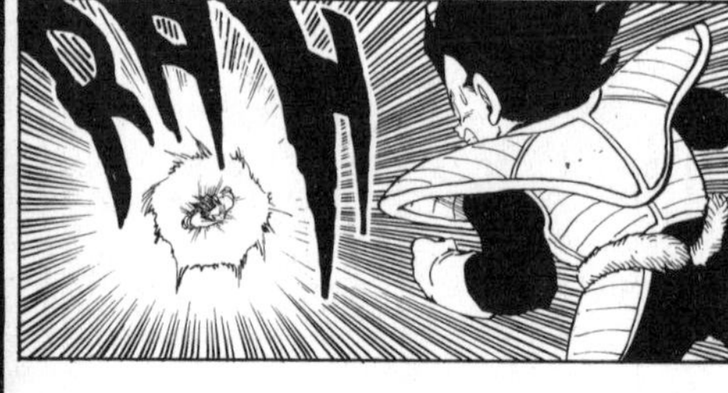

ZIP
FLOP

ZIP

QUOI ?!
ZIP

ZIP

CRAC
ZIP

PAF
PAF
HAA... HAAA HA HAA...!
RRAA
GWAAAAAH!!

ORDURE !!

TAC

PLAF

ZIP

PAF

AARG

TAC

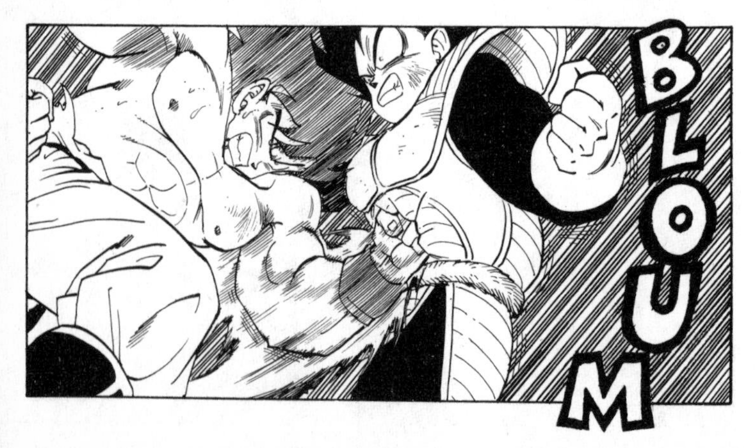
BLOUM

AHH... GOUUH...!

T... TOI...!

PAF

PEUF
PEUF
PEUF

IM... IMPOSSIBLE ...!
IL... IL A DÉPASSÉ MA PUISSANCE...!

IL EST TROP FORT... IL FAUT VITE FINIR LE COMBAT, OU JE RISQUE DE PERDRE ...
FLOP

SU... SUPER...! SANGOKU VA PEUT-ÊTRE GAGNER !

DRAGON BALL
ドラゴンボール
鳥山明
BIRD STUDIO

CHLOPH

JE...
JE SUIS L'ÉLITE DE L'ÉLITE...! CE MINABLE NE PEUT PAS ME BATTRE...!
C'EST... C'EST IMPOSSIBLE...!
BZZZZZ

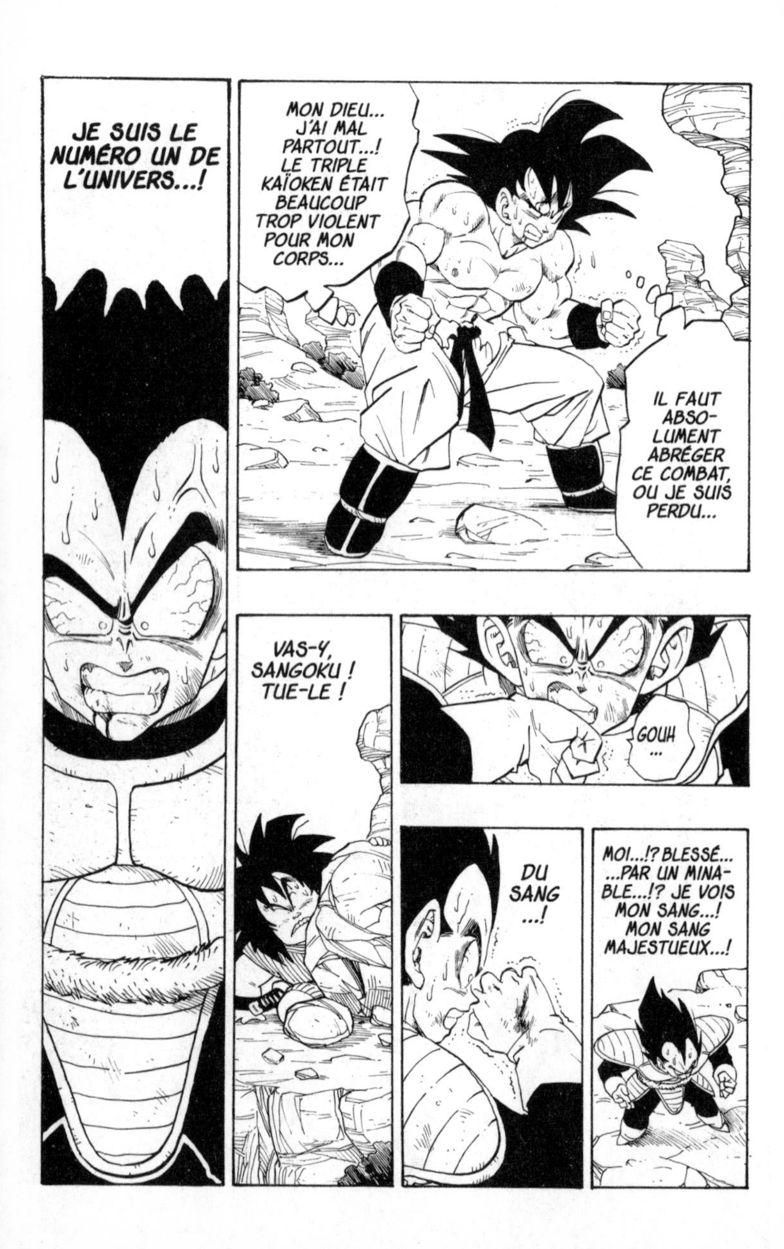
JE SUIS LE NUMÉRO UN DE L'UNIVERS...!
MON DIEU... J'AI MAL PARTOUT...! LE TRIPLE KAÏOKEN ÉTAIT BEAUCOUP TROP VIOLENT POUR MON CORPS...
IL FAUT ABSO-LUMENT ABRÉGER CE COMBAT, OU JE SUIS PERDU...
VAS-Y, SANGOKU ! TUE-LE !
GOUH ...
DU SANG ...!
MOI...!? BLESSÉ... ...PAR UN MINA-BLE...!? JE VOIS MON SANG...! MON SANG MAJESTUEUX...!

N... NON...!
JE NE PEUX SUP-PORTER ÇA...!!

CETTE PLANÈTE NE M'INTÉ-RESSE PLUS !!
JE VAIS LA FAIRE VOLER EN ÉCLATS !!
AAAAAA

QUOI !?

ZIP

ESQUIVE DONC, SI TU PEUX !!
VLOUF
MÊME SI TU EN RÉCHAPPES, LA TERRE N'EXISTERA PLUS !
!!
C'EST LA SEULE SOLUTION QUE TU AIES TROUVÉE...? SALAUD !!

JE DOIS
LE FAIRE !

AAAH !!

LE KAMÉ-HAMÉHA DU TRIPLE KAÏOKEN !!
ZOOOUF

TU NE RÉSISTERAS JAMAIS À MON CANON GARRIC...!
TU SERAS RÉDUIT EN POUS-SIÈRE AVEC LA TERRE !!

KA...
...MÉ...
GRRR
...HA...
...MÉ...

PLAF

!!
ZUT ! SI J'AVAIS SU QUE JE DEVAIS MOURIR LÀ, J'AURAIS MANGÉ PLUS DE GÂTEAUX À LA VAPEUR !

HA !
TAC

CHLOPH
CHLOPH

BOUM
CRAC
HAAAH !!

AAAAH !!

KUUUU !!

QU... QUOI ...!?
ÇA RESSEMBLE À MON CANON GARRIC !?

BZZZZ

LE QUA-DRU-PLE !!
OOOOOH !!
HAAAA !!

BROUM

PAF

!!
IL L'A RE-POUS-SÉ...!

VROUF
WAAAAH !!
PEUF
PEUF
PEUF
AH... AHHH...!!

DRAGON BALL

AH... AH...
PEUF
PEUF
AH... AHHH...!
TU L'AS EU...!
TU...

MON DIEU... TU L'AS EU !
SAN-GOKU !!

YA... YAJIROBÉ...!
QU'EST-CE QUE TU FAIS LÀ...?
PAF
TU NE SAVAIS PAS QUE J'ÉTAIS LÀ ?
TU N'AS PAS SENTI MA PRÉSENCE !?

COMMENT AS-TU FAIT POUR BATTRE UN TEL MONSTRE ?
CLAC
AÏE !
SACRÉ GOSSE !

AAAH...!
QU'EST-CE QUE TU AS ?
QU'Y A-T-IL ?

MON CORPS N'A PAS SUPPORTÉ MA DERNIÈRE ATTAQUE...
AH...?
C'EST VRAI QUE JE N'AVAIS JAMAIS VU ÇA ...

DIS, YAJIROBÉ... IL VAUT MIEUX QUE TU T'EN AILLES...
HEIN ?

POUR-QUOI...?
TU VEUX DIRE...

IL EST VIVANT...!
ÇA AURAIT ÉTÉ TROP FACILE SI JE L'AVAIS TUÉ AVEC CETTE ATTAQUE...

FLOP
MAIS... SI TU ES PLUS FORT QUE LUI...

JE TE L'AI DIT... J'AI PRATIQUÉ UNE ATTAQUE SURPUIS-SANTE...
C'ÉTAIT PRESQUE MA LIMITE...

C'EST...
C'EST VRAI...?

BON... J'Y VAIS...!
COU... COURAGE, SANGO-KU...!
M... MERCI...

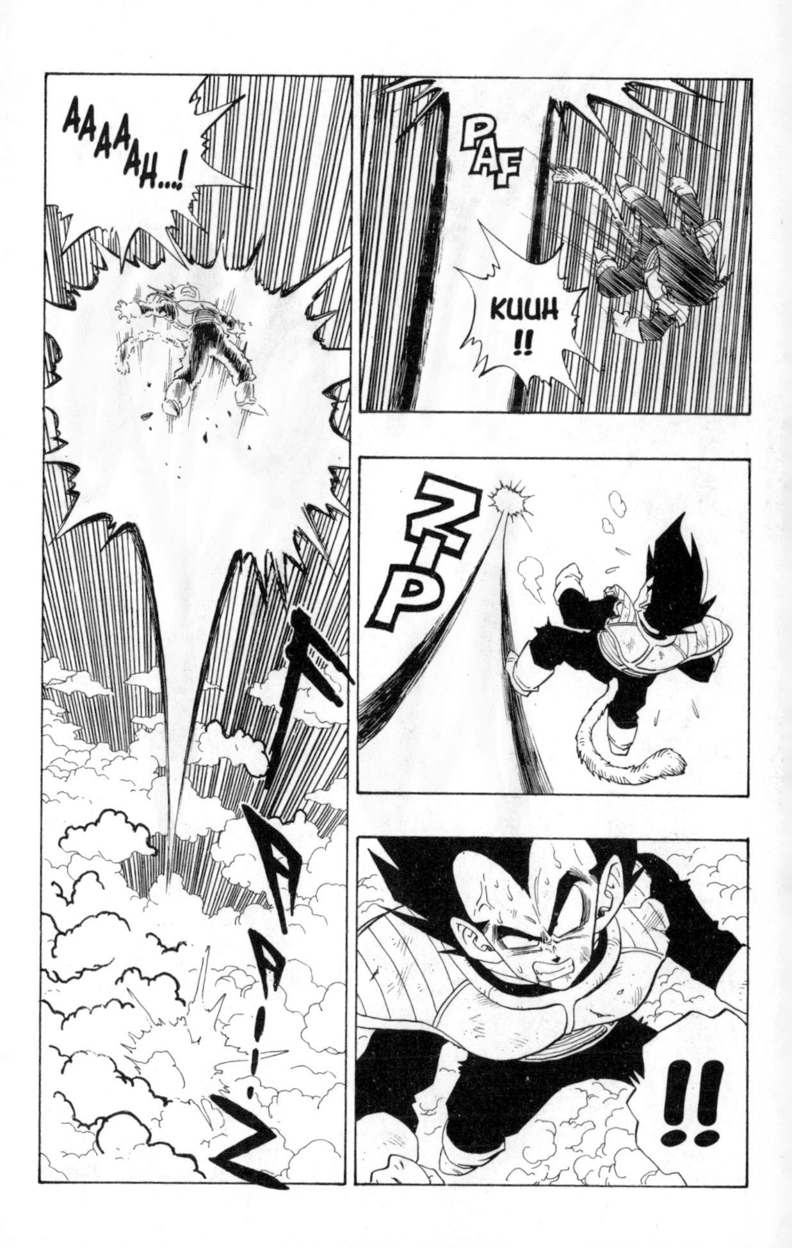
PAF
KUUH !!
ZIP
!!
AAAAAH...!
FAA--N

POURQUOI LA PUISSANCE DE CAROT EST-ELLE ...
POU... POURQUOI...?
...SUPÉRIEURE À LA MIENNE ...?

JE SUIS LE PLUS FORT DES SAÏYENS ! LE NUMÉRO UN DE L'UNIVERS !!
ENFOIRÉ !!

AAAARGH !!

PEUF
PEUF
PEUF

NIIIH !

TRÈS BIEN... JE N'AIME PAS ÇA CAR C'EST UN PEU GROTESQUE, MAIS JE VAIS ME MÉTAMORPHOSER EN SINGE GÉANT ET L'ÉCRASER...!

HÉ HÉ HÉ... EN SINGE, J'AURAI UNE PUISSANCE MONSTRU-EUSE...!!

ZUT...! JE SUIS VENU UNE NUIT DE PLEINE LUNE POUR ÉLIMINER LES TERRIENS VITE FAIT...
...MAIS JE N'AURAIS JAMAIS CRU DEVOIR EN ARRIVER LÀ JUSTE POUR TUER CAROT...!
ÇA M'ÉNERVE ...!!

?

BIZARRE... LA LUNE DEVRAIT ÊTRE VISIBLE À CETTE HEURE...
ZIP

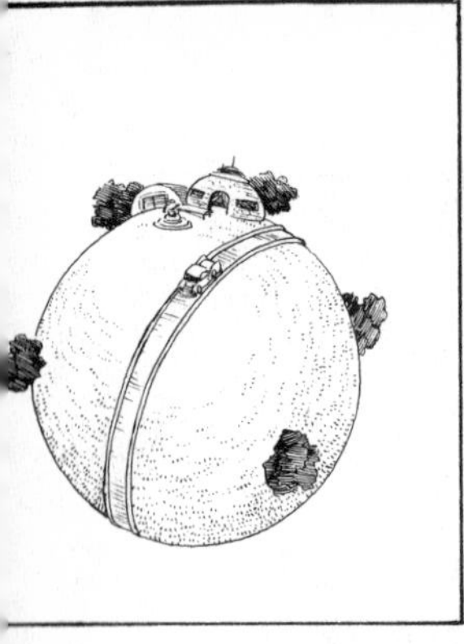

PICCOLO L'A
SUPPRIMÉE EN CAS
D'ATTAQUE SAÏYENNE...
HÉ HÉ HÉ...
TU NE LA
TROUVERAS
PAS...!

VÉGÉTA EST QUAND
MÊME AFFAIBLI...!
SI SANGOKU
UTILISAIT LA BOULE
D'ÉNERGIE VITALE...
IL POURRAIT
GAGNER S'IL
ARRIVAIT À LE
TOUCHER...!
MAIS MÊME SI LE
SAÏYEN NE PEUT PAS
SE TRANSFORMER,
SANGOKU N'A PLUS
BEAUCOUP DE FORCE...
IL EST TOUJOURS
DANS UNE POSITION
CRITIQUE...

QU'EST-
CE QUE
C'EST
QUE CE
DÉLIRE
!?
NOOON !
IL N'Y A
PAS DE
LUNE ?!

QUE FAIT-IL...?
IL CHERCHE
QUELQUE
CHOSE...?
POURQUOI
N'ATTAQUE-
T-IL PAS...?

JE... JE VOIS...! ENFOIRÉ...! CE QU'IL M'ÉNERVE...!!
CAROT A DÉTRUIT LA LUNE...!

...
TANT PIS...

...JE VAIS GASPILLER DE MA PUISSANCE...
...MAIS JE NE VOIS PAS D'AUTRE MOYEN...!

J'IMAGINE SON AIR ÉBAHI !
HA HA HA HA...!!

ZIP

!!
ÇA Y EST ! IL DESCEND ...!
BOUM

PAF

SEULE LA BOULE D'ÉNERGIE VITALE POURRA LE VAINCRE...
JE ME DEMANDE SI JE POURRAI ME CONCENTRER ...!

TU PENSAIS M'AVOIR EN SUPPRIMANT LA LUNE...? EH BEN C'EST RATÉ !

LA LUNE !?
DE QUOI PARLES-TU ?

NE FAIS PAS COMME SI TU NE SAVAIS PAS...

TU VEUX QUE JE TE DISE POURQUOI NOUS POUVONS NOUS TRANSFORMER À LA PLEINE LUNE...?

HEIN ?
?

LA LUMIÈRE DE LA LUNE EST LE REFLET DE CELLE DU SOLEIL, COMME TOUT LE MONDE LE SAIT... QUAND LA LUMIÈRE SOLAIRE SE REFLÈTE SUR LA LUNE, ELLE PRODUIT L'ONDE BRUTS...
L'ONDE BRUTS AUGMENTE DE PLUS DE DIX SEPT MILLIONS DE ZÉNOS À LA PLEINE LUNE...

QUAND ON LA REÇOIT À CETTE PUISSANCE PAR LES YEUX, ELLE PROVOQUE UNE RÉACTION DANS LA QUEUE ET LA MÉTAMORPHOSE COMMENCE...!
IL Y A BEAUCOUP DE LUNES DANS L'UNIVERS, TOUTEFOIS, QUELLE QUE SOIT LEUR TAILLE, AUCUNE NE FOURNIT UNE ONDE DE DIX-SEPT MILLIONS DE ZÉNOS À MOINS D'ÊTRE PLEINE...
...MAIS...

...LES SAÏYENS ÉLUS PEUVENT CRÉER UNE LUNE CAPABLE DE FOURNIR UNE ONDE DE PLUS DE DIX-SEPT MILLIONS DE ZÉNOS...! IL SUFFIT DE MÉLANGER DE L'OXYGÈNE À CETTE BOULE D'ÉNERGIE !!
CHLOPH

JE VIENS DE GAGNER LE TEMPS QU'IL ME FALLAIT, CAROT !
PEUF
PEUF
TU N'AURAIS JAMAIS DÛ DÉFIER UN SUPER COMBATTANT D'ÉLITE ! HA HA HA...

SA FORCE A NETTEMENT DIMINUÉ QUAND IL A FABRIQUÉ CETTE BOULE...!
QU'EST-CE QU'IL COMPTE FAIRE...? JE NE COMPRENDS PAS...!!
PEUF
PEUF

QU... QUOI ...!?

CHLOPH

MÉLANGE-TOI À L'OXYGÈNE !
BOUM

BOUM
GOUUH !!

CHLOPH

PEUF
PEUF

QU'EST-CE QU'IL A FAIT ?
QU'EST-CE QUE C'EST QUE ÇA ?

NON !!
IL... IL A CRÉÉ UNE LUNE !

TU VAS REGRETTER DE NE PLUS AVOIR DE QUEUE ...!
...CAROT ...!

!?

RAA
RAA
RAA

AAAA

!?

DRAGON BALL

NOUS SOMMES PRESQUE À KAMÉ HOUSE !
COURAGE, SANGOHAN !!
OU... OUI...!

H... HÉ...
REGAR-DE...
HEIN ?

C'EST D'OÙ NOUS VE-NONS ...
ÇA BRILLE... UNE ÉTOILE, PEUT-ÊTRE...
NON... CE N'EST PAS UNE ÉTOILE...
!!
!!

QUOI...?
JE SENS... UNE FORCE SPIRITUELLE...

CE... CE N'EST PAS CELLE DE MON PÈRE...
AH... AHH... C'EST... C'EST CELLE DE L'AUTRE...!
ELLE EST MONSTRUEUSE...!!
QUE SE PASSE-T-IL...?

...
P... PAPA...

JE... J'Y RETOURNE...!
QUOI ?
LÀ-BAS ?

JE... JE LE SENS...!
MON PÈRE EST EN DANGER... SI JE N'Y VAIS PAS, IL SE FERA TUER...!

MAIS... ON NE PEUT RIEN FAIRE... VÉGÉTA A UNE TELLE FORCE...
JE... JE SAIS...
MAIS...

IL FAUT QUE J'Y AILLE !

AHH !
HÉ ! HÉ...!

AH... AH...!
IMPOS-SIBLE...!

AT-TENDS, SANGO-HAN !
JE VIENS AUSSI !

GRRRR !!

GRRRR !!

HA ! HA !
HA ! HA !
ALORS, CAROT !
CETTE FOIS
C'EST LA FIN !
QU...
QU'EST-CE
QUI SE
PASSE ?

UN... SINGE GÉANT...!
UN SINGE MONSTRU-EUX...!

SANGOKU... IL NE FAUT PAS SORTIR À LA PLEINE LUNE CAR IL EXISTE DES SINGES IMMENSES...

LA FORCE DES SAÏYENS EST DÉCUPLÉE LORSQU'ILS SE TRANSFORMENT !
ÉCOUTE PLUTÔT ÇA...

JE... JE VAIS COUPER CETTE QUEUE QUI TE GÊNE...

ÇA... ÇA Y EST... J'AI COMPRIS ...
LE MONSTRE QUI A ÉCRASÉ MON GRAND-PÈRE... ET QUI A DÉTRUIT LE STADE DU CHAMPIONNAT... C'ÉTAIT MOI...!

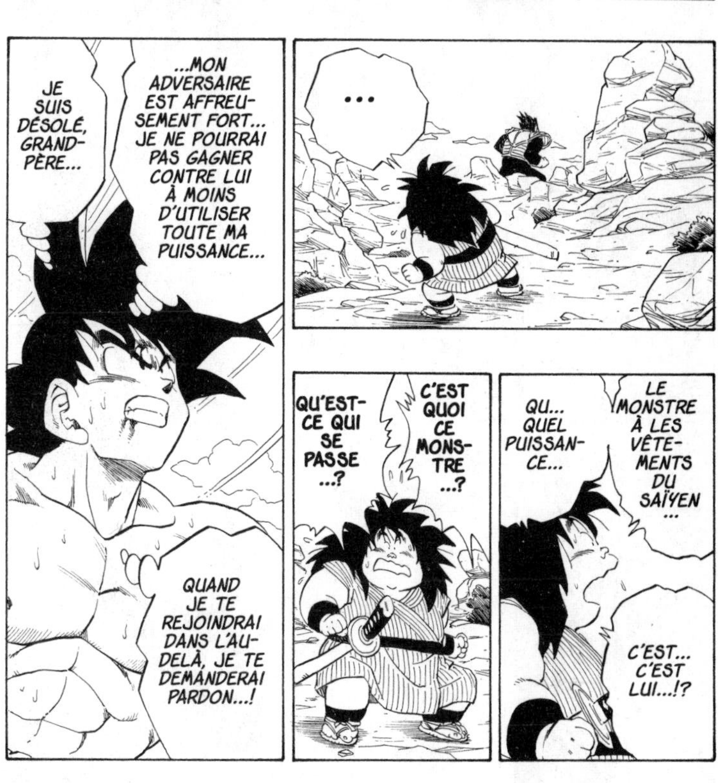

JE SUIS DÉSOLÉ, GRAND-PÈRE...
...MON ADVERSAIRE EST AFFREU-SEMENT FORT... JE NE POURRAI PAS GAGNER CONTRE LUI À MOINS D'UTILISER TOUTE MA PUISSANCE...
QUAND JE TE REJOINDRAI DANS L'AU-DELÀ, JE TE DEMANDERAI PARDON...!
...
QU'EST-CE QUI SE PASSE ...?
C'EST QUOI CE MONS-TRE ...?
QU... QUEL PUISSAN-CE...
LE MONSTRE À LES VÊTE-MENTS DU SAÏYEN ...
C'EST... C'EST LUI...!?

PAF
WAAAH !!

CHLOPH
AAAH !!

JE VAIS T'ENVOYER UNE BOULE D'ÉNERGIE VITALE DE LA TERRE ENTIÈRE !

BING

AH...
AHH...
AAAAH
...!!

HA ! HA ! HA ! HA !

KAÏO-KEN !!

BOUM

PLAF

ZIP
ZIP

WOOH
...!!
AH...
AAH...!

HA ! HA ! HA ! TU ABANDONNES ? TU N'ESSAIES MÊME PAS DE T'ENFUIR ?
ZIP
!!

MALGRÉ SA TAILLE, IL BOUGE À UNE VITESSE INCROYABLE !
JE NE PEUX PAS ME CONCENTRER POUR FAIRE LA BOULE D'ÉNERGIE VITALE !

MÊME LE QUINTUPLE KAÏOKEN NE LUI FERAIT RIEN !

DIX SECONDES SUFFIRAIENT !
J'AI BESOIN DE TEMPS !!

J'AI UNE IDÉE !!

TEN-SHINHAN ! JE T'EMPRUNTE TA TECHNIQUE !

LA MORSURE DU SOLEIL !!

WOOOH
!!

ZIP
MES YEUX ...!
AAAH !!

VITE ! PENDANT QU'IL EST ÉBLOUI...!

PAF
PEUF
PEUF
BIEN... J'AI PU M'ÉLOIGNER UN PEU ...!!

LA TERRE, LA MER, TOUS LES ÊTRES VIVANTS...
...DONNEZ-MOI TOUS UN PEU D'ÉNERGIE VITALE...!

Z... ZUT...!
FLOP
S'IL VOUS PLAÎT !

BLAFFF
!?

VLAM

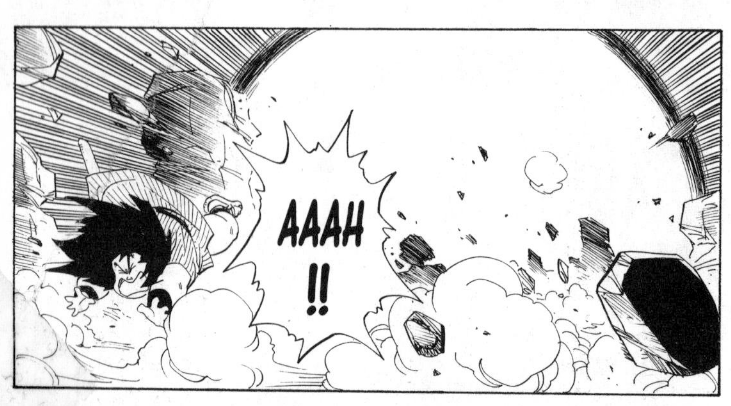
AAAH !!

AH...
AAH...

J'AI MAL CALCULÉ MON COUP...!
Z... ZUT... JE NE PENSAIS PAS QU'IL M'ATTAQUERAIT AINSI...!

ZIP
ZIP

ZIP
J'AI PERDU LA BOULE D'ÉNERGIE...
QUEL DÉSASTRE...

...J'AI DÉPENSÉ TOUTE MA FORCE POUR FAIRE LA BOULE...
TU M'AS EU... JE NE PEUX PLUS GAGNER...

MAIS IL EST À LA LIMITE, JE LE SENS...
KOF... IL EST RÉSISTANT !

PAF
PAF

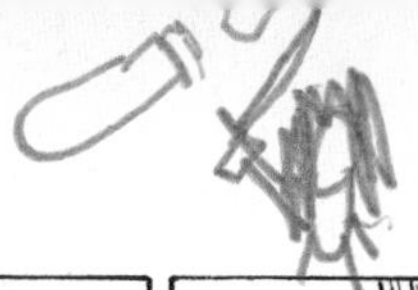

HA HA HA ! QU'EST-CE QUE TU VAS FAIRE MAINTE-NANT ?

BOUM

KUUH !!
ZIP

PLAF

PLAF

PAF

ZIP
WOOO...!

AH ...!
AAH ...!

CRAC
BAFF

L'ESPRIT DE SANGOKU EST DE PLUS EN PLUS FAIBLE !
P... PAPA...!

AAAAH !!

VITE ! NOUS Y SOMMES PRESQUE !!

AAAAH...!

AAAH...!
OUPS...! PARDON...!
JE NE T'AVAIS PAS VU ! JE N'AI PAS FAIT EXPRÈS DE T'ÉCRASER LES JAMBES !
HÉ ! HÉ ! HÉ ! HÉ...!

J'ÉCRASERAI TON CŒUR SANS FAIRE EXPRÈS, PEUT-ÊTRE...
PEUF
PEUF
PEUF
C'EST FINI, CAROT !
MÊME SI TU RESSUSCITES, IL N'Y AURA PLUS DE TERRE !

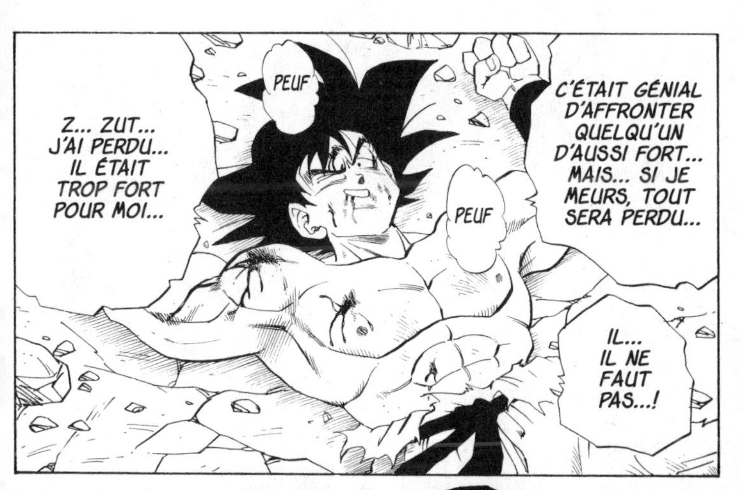
Z... ZUT... J'AI PERDU... IL ÉTAIT TROP FORT POUR MOI...
PEUF
PEUF
C'ÉTAIT GÉNIAL D'AFFRONTER QUELQU'UN D'AUSSI FORT... MAIS... SI JE MEURS, TOUT SERA PERDU...
IL... IL NE FAUT PAS...!

CRÈVE !!
PAN

PLAF
!!

WAAAAAH !!

HÉ HÉ...
UNE ULTIME TENTATIVE...

FLOP

MAINTENANT... JE NE PEUX MÊME PLUS LEVER UN DOIGT... FAIS CE QUE TU VEUX...

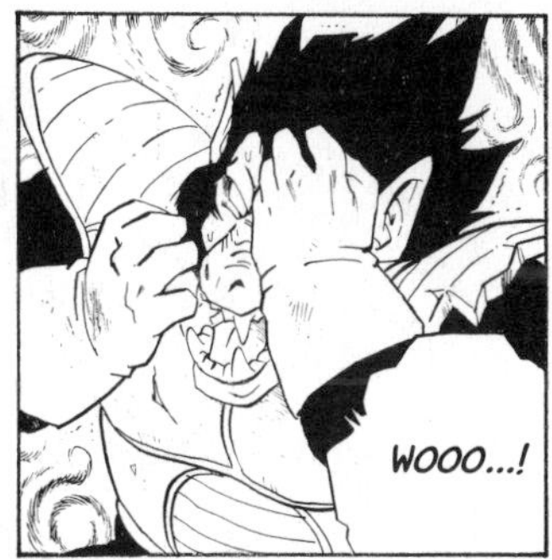
WOOO...!

ENFOIRÉ
...!

CAROT...! TU AS EU LE CULOT DE ME GRIFFER LE VISA-GE...!?

TOC

JE VAIS T'ÉCRASER...!
GRRR
AAAAH
...!

AAAAH !!
...AAAA

...NE M'EN VEUX PAS...
JE... JE NE TE LAISSE PAS TOMBER... JE NE PEUX RIEN FAIRE... C'EST TOUT...

C... C'EST FINI...! IL VA MOURIR...
AAAH...! C'EST... C'EST TERRIBLE...

AAAH ...!
J'ESPÈRE QUE TU VAS SOUFFRIR ÉNORMÉMENT AVANT DE MOURIR !!

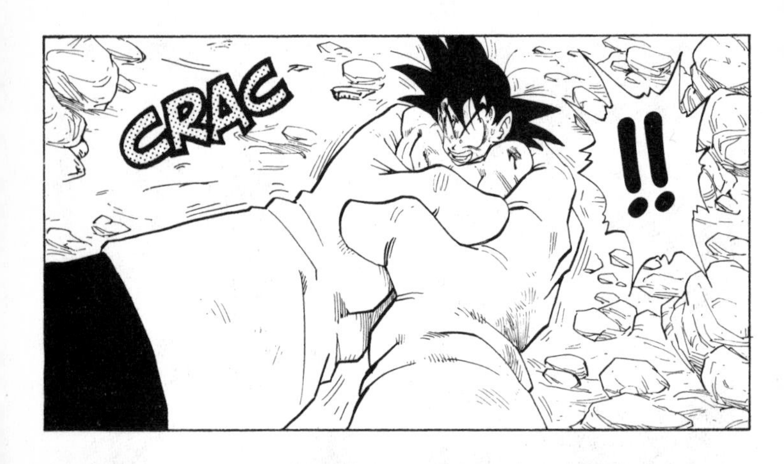
CRAC
!!

!!

AAAAH !

ON APPROCHE !
ON Y EST PRESQUE !!

QU'EST-CE QUI SE PASSE...?
IL FAIT JOUR À CAUSE DE CETTE DRÔLE DE BOULE, POURTANT C'EST LA NUIT...

MON... MONSIEUR KRILIN ! REGARDEZ...!

?!

ON VA SE CACHER EN BAS !
DESCENDS, SANGOHAN !!

QU'EST-
CE QUE
C'EST...?
DÉ-
PÊCHE-
TOI,
CRÉTIN
!!

AH...!
C'EST
EUX...!

MINCE...!
IL S'EST
TRANS-
FORMÉ
EN SINGE
GÉANT...!

HÉ HÉ HÉ...
TU AS BEAUCOUP
DE FRACTURES...
TU AS MAL,
HEIN ?

ZIP
ZIP
C'EST
GRAVE !
SANGO-
KU EST
TRÈS
MAL !

PAS-
SONS
PAR
LÀ !
OUI !

HÉ !
AAAH !!

YA... YAJIROBÉ !
HÉ !
CE MONSTRE, C'EST LE SAÏYEN !
JE SAIS !!
SI ON ARRIVE À LUI COUPER LA QUEUE, IL REDEVIENDRA NORMAL !

SA... SA QUEUE !?
ÉCOUTEZ ! VOUS AVANCEZ DEVANT LUI ET VOUS ATTIREZ SON ATTENTION !
MOI, JE LA LUI COUPE PAR DERRIÈRE !
VITE ! SANGOKU VA MOURIR !!
OK !

ZIP
ZIP

ATTIRER SON ATTENTION...? C'EST... C'EST UNE BLAGUE OU QUOI...?
ILS NE LE CONNAISSENT PAS...! MÊME HUMAIN, CE MONSTRE EST INCROYABLEMENT FORT...!

P... PAPA !
TIENS BON !

SANGOKU N'A PRESQUE PLUS D'ÉNERGIE !
C'EST MAUVAIS ! ZUT ! IL EST PRESQUE MORT...!
PAF

QUEL DOMMAGE QU'IL SE SOIT ÉVANOUI...!
"RRRR

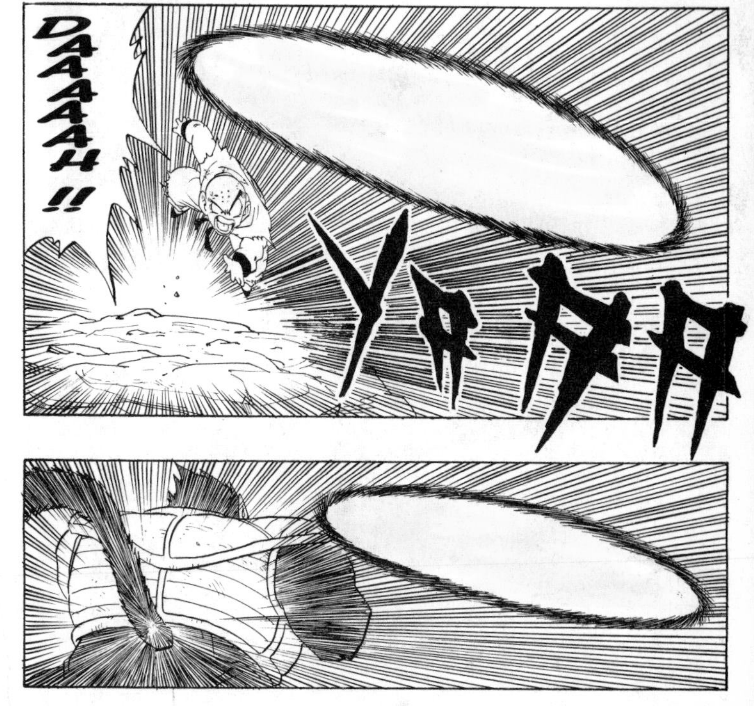
DAAAAAH !!
YAAAA

ZIP
CHLOPH

!!

!!

CRAC
ZIP

IM... IMPOS-SIBLE...!
TU CROYAIS PEUT-ÊTRE QUE JE NE SAVAIS PAS QUE TU ÉTAIS LÀ ?
J'ÉTAIS MES GARD JE SAVAIS QUE LE PET N'ÉTAIT PAS ARRIVÉ TOUT SEUL...
TU ES AU COURANT DU SECRET DE MA QUEUE... QUEL DOMMAGE D'AVOIR RATÉ L'OCCASION DE ME LA COUPER !
...
AAAH...
NE BOUGEZ PAS !
APRÈS CAROT, CE SERA VOTRE TOUR !

PARDON, SANGOKU... JE NE VEUX PAS TE LAISSER TOMBER, MAIS... SA PUISSANCE EST SI GRANDE QUE JE NE PEUX MÊME PAS M'APPROCHER DE LUI...!
ZUT...! QUEL ENNEMI...! MÊME DEVENU UN MONSTRE, IL RESTE TOUJOURS CALME ET VIGILANT...

IL FAUT FAIRE QUELQUE CHOSE !
Z... ZUT !

VOUS N'AURIEZ PAS DÛ ESSAYER DE VOUS MESURER À MOI !
HA ! HA ! HA ! HA !
AAAAH...

ARRÊTE !
ARRÊTE...!

GRRRR
!!

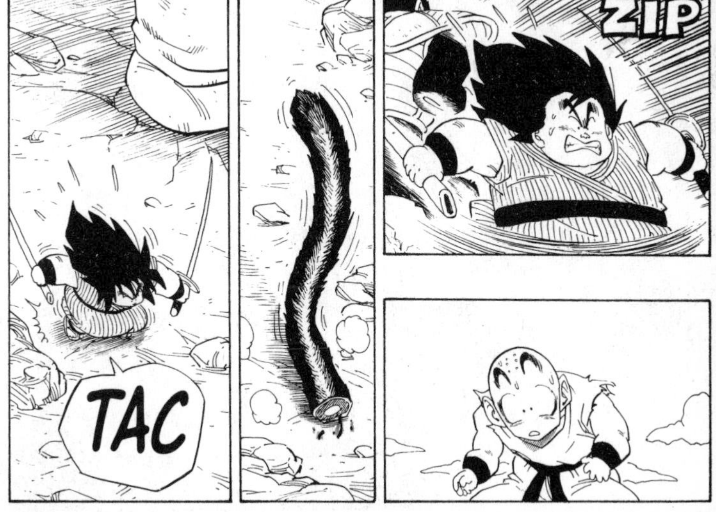
ZIP
TAC

Z... ZUT...!
IL Y EN AVAIT ENCORE UN...!

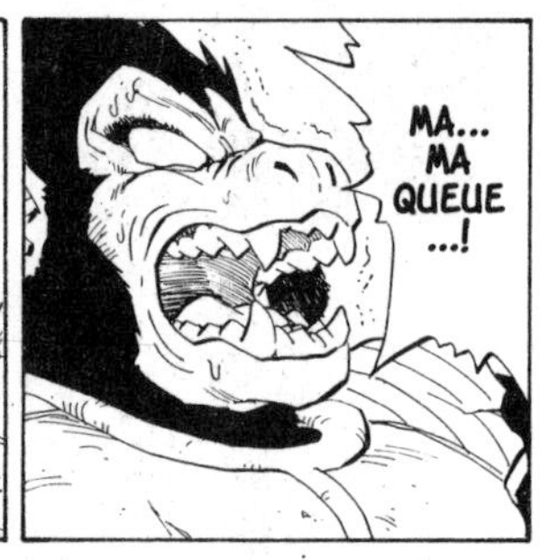
MA... MA QUEUE ...!

ZIP

BOUM

AAAAH !!

PEUF
PEUF
PEUF

HEIN...?

JE NE SAIS PAS ! JE NE SAIS PAS COMMENT ÇA VA SE PASSER MAINTENANT !

DRAGON BALL

PEUF
PEUF
C... COU-PÉE...
SA QUEUE EST COUPÉE ...!
PEUF
PEUF

IL EST REDEVENU NORMAL...!
TU L'AS EU, YAJIROBÉ ...!

...VOUS VOULEZ VRAIMENT MOURIR...?
ENFOI-RÉS...

JE NE VEUX PAS LE SAVOIR ! JE N'Y SUIS POUR RIEN...!

VOUS N'ÊTES QUE DES DÉ-CHETS !!
JE VAIS VOUS TUER PUISQUE C'EST CE QUE VOUS VOULEZ !!

POUR-QUOI LE MONS-TRE...!?
QUE... QU'EST-CE QUI SE PASSE...?

ZIP
JE M'EN DOUTAIS !

SAUVE-TOI, SANGOHAN !!
ZIP
PAF
!!

JE VAIS COMMENCER PAR TOI...!
AHH...

PLAF

AAAH ...

ET ALORS ? LES BÂTARDS DE SAÏYENS ET DE TERRIENS SERAIENT FAIBLES ?

ALLEZ ! FAIS-MOI VOIR TA FORCE !

BLAM
PLAF
ZIP
PAF

CLIC
CLIC

KEUF ! TU VEUX ÊTRE LE PREMIER, HEIN ?

AAH ! C'EST EXACTE-MENT CE QUE JE CRAI-GNAIS ...

RELÈVE-TOI ! JE VEUX M'AMUSER ENCORE UN PEU !
FLOP
OOH... OOOH...

C'EST ÇA TA FORCE ? LE GOSSE D'UN DÉCHET EST UN DÉCHET. C'EST FORCÉ !
AHH... AÏE...

BOUM

AH... AHH...
MÊME UN DÉ-CHET A LE SANG ROUGE !

TU VEUX MOURIR À CÔTÉ DE TON PÈRE ?
JE SUIS TROP GENTIL !

ZIP

BOUM
OOH !

SAN... SANGOHAN...
OOOH ...

SANGOHAN... JE NE PEUX PLUS BOUGER D'UN MILLIMÈTRE...
JE VEUX QUE TU TE BATTES À MA PLACE... LUI AUSSI A PERDU BEAUCOUP DE FORCE...

HAAH...
CAROT EST ENCORE CONSCIENT... QUELLE RÉSISTANCE !

NON, PAPA... IL EST TROP FORT...
JE NE PEUX RIEN CONTRE LUI...

BIEN ! JE VAIS D'ABORD TUER CAROT !
APRÈS, SON FILS, ET ENSUITE LE CHAUVE ...

...ET ENFIN, CELUI QUI A OSÉ COUPER MA PRÉCIEUSE QUEUE !
HAA ! IL SE SOUVIENT DE MOI !

CE N'EST PAS GRAVE... ESSAIE DE GAGNER DU TEMPS...
TA FORCE DOIT ÊTRE BEAUCOUP PLUS GRANDE MAINTE-NANT...

ENSUITE KRILIN LUI DONNERA LE COUP DE GRÂCE...

ZIP
GRRR

AAH...
AH...
AH...
NON...
JE N'EN PEUX PLUS...
IMBÉCILE ! TU VEUX QUE NOS AMIS AIENT DONNÉ LEURS VIES POUR RIEN ?
PICCOLO NE T'A DONC RIEN APPRIS ...?
PLAF
WAAAH !!

HAAA !!
HAAA !

!!
TU N'ES QU'UN DÉCHET, MAIS TU M'AS BIEN AMUSÉ...
SAN... SANGOHAN...!
PAF
GOUAAH !!
A... ARRÊTE...!
HA ! HA ! HA !
PAF
FLOP
PAF
BOUM
ARRÊTE ...!

ARRÊTE !!

JE VAIS...
...TE TUER !!

HEIN ?

MOI...?
TU VAS ME TUER...?

?!!
ZIP

GRRR

PAW

HEIN !?

AAH !!

KRI... KRILIN...!
KRILIN ...! APPROCHE, S'IL TE PLAÎT ...!

BAFF
KISH
!!

PAF
PIF
HEIN...? QU'EST-CE QUE TU DIS...?
QU'EST-CE QUE TU VEUX ME PASSER...?

L'ÉNERGIE VITALE... C'EST LA FORCE QUE J'AI COLLECTÉE SUR TOUTE LA TERRE...
J'EN AI PERDU LA MOITIÉ, MAIS... VU L'ÉTAT DE VÉGÉTA, JE PENSE QUE ÇA PEUT LE TUER...

KRILIN... SERRE MA MAIN...!
QU... QUOI ...?

MAIS...
VITE...! SANGOHAN VA SE FAIRE TUER...!

TCHA

QUE JE SERRE TA MAIN...?
S'IL TE PLAÎT ...!

C... COMME ÇA...?
AÏE !!

TU AS BEAUCOUP DE FRAC-TURES, N'EST-CE PAS ?
ÇA NE FAIT RIEN... NE ME LÂCHE PAS...!

!?
TIENS ...

!!
GZAP

IL EST FORT, MAIS... IL DOIT ÊTRE ASSEZ FATIGUÉ APRÈS LE COMBAT AVEC MON PÈRE...

PEUF
PEUF

JE... J'AI COMPRIS ...!!
COMPTE SUR MOI...!

TAC

TU N'ES PAS MAUVAIS, PETIT, MAIS...
...TU ES À FOND, PAS VRAI ?

TOC

ZIP

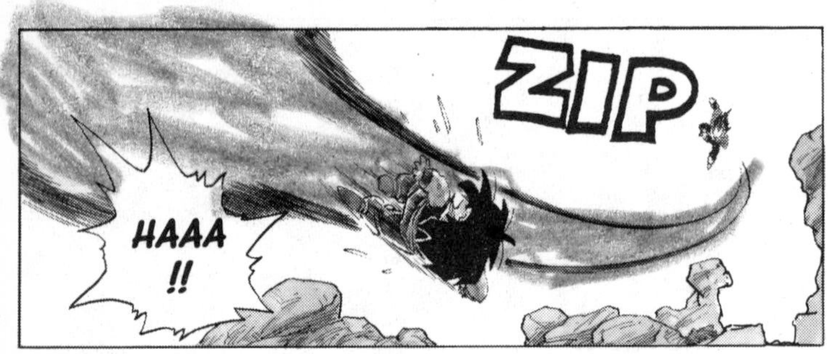
ZIP
HAAA !!

TAC

TAC

KEUF ! C'EST TON ULTIME TENTATIVE ...?

ZIP
!!

Z... ZUT...!
JE NE PEUX PAS VISER, IL BOUGE TROP...!
NE COMPTE PAS SUR TES YEUX POUR LANCER LA BOULE !
SENS LE VICE DE TON ENNEMI ET LANCE-LA !
!?

QUI...
QUI EST-CE ?

JE SUIS KAÏO, C'EST MOI QUI AI APPRIS CETTE TECHNIQUE À SANGOKU !
TOUT DÉPEND DE LA MANIÈRE DONT TU LA LANCES !
PENSE QUE LA BOULE EST TOUT L'ESPOIR DE LA TERRE CONCENTRÉ !

LE MAÎTRE KAÏO...!?
BOUM

HÉ HÉ HÉ... VOUS VOUS ÊTES RENDU COMPTE QUE, MÊME À PLUSIEURS, VOUS NE POUVIEZ PAS GAGNER CONTRE L'ÉLITE, HEIN ? MAIS C'EST TROP TARD !
FOOP

SENTIR SON VICE ET... LANCER LA BOULE...
JE... JE VOIS...

CHL OPH
!!
TAC
TAC
TA

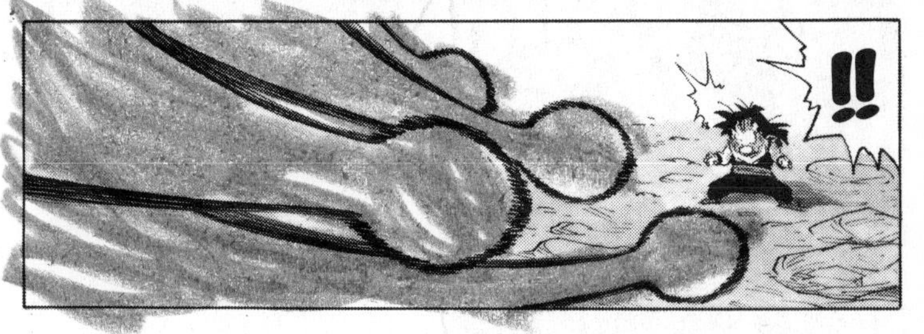
!!

BLAM

HA !
HA !
HA !
HA !

!!

BAAAM

AAAH !!

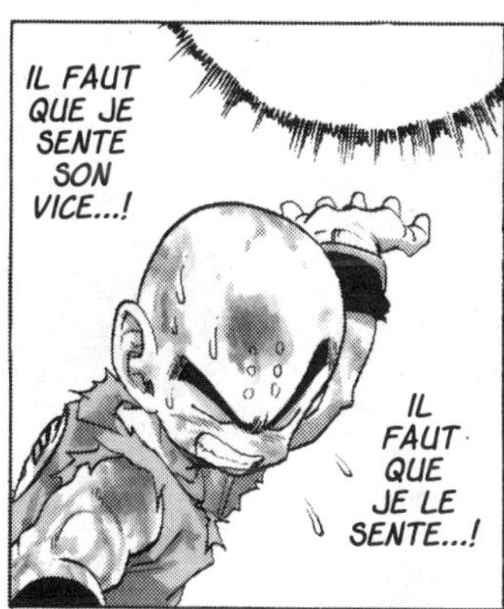
IL FAUT QUE JE SENTE SON VICE...!
IL FAUT QUE JE LE SENTE...!

DÉPÊCHE-TOI, KRILIN...!

VITE !!
IL VA FAIRE QUELQUE CHOSE...! C'EST UNE PUISSANCE ÉNORME...!

AAAH...
AH...

AH... AAAH...
FLOP

HA ! HA ! HA ! HA ! REGARDE BIEN, CAROT !
TON FILS VA MOURIR !!

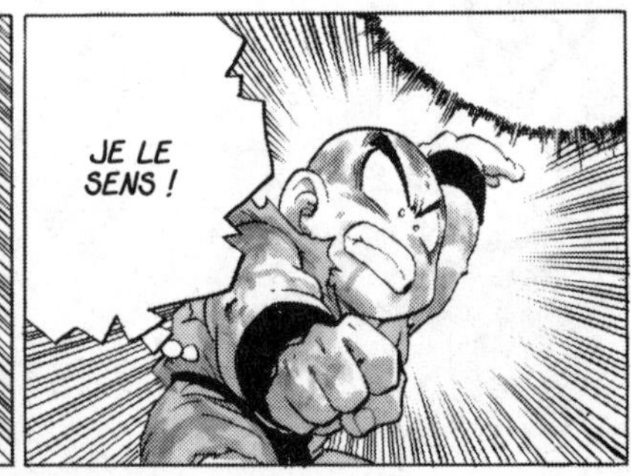
JE LE SENS !

HEIN ?

FAIS-LE VITE !
POURQUOI HÉSITES-TU, CRÉTIN !?

CRÉTIN ...!
MAIS ...!

!!
KUU !?

ZUT !!

TOUCHE-LE !

QU'EST-CE QUE C'EST QUE ÇA ?

HAAAAAH !!

!!

DRAGON BALL

TOUCHE-
LE !!

HAAAAAH
!!
Z...
ZUT
!!

HAA !!
!!

!!

C'EST FINI !!

RATÉ !!

HEIN
!?
AAAH
!!

RENVOIE-LA, SANGOHAN ! LA BOULE N'EST PAS CONTRE TOI !
SI ON N'A PAS DE VICE, ON PEUT LA RENVOYER !

KUUUH !!
PAF

OH !!
!!

ZIP
TAC

AAAAH !!
PLAF

!!

CRACH

PAF
PAF
GZZZZ
PAF

CRAC
HAA...
HAAAAH
...!!

AAH...
AAAAH
...!!

BOUM
KUUH
!!

ZIP
AAAAAAH !!
PAF

AHH...
AHH...

IL L'A EU !!

PFIU...

PEUF
PEUF
HA HA...

YAHOU !!
ÇA Y EST !!

ON L'A EU ! HA ! HA !
ON L'A EU, SANGOKU !

PFIU...

PAPA ...
SOB

HE HE... VOUS ÊTES COMPLÈ-TEMENT VANNÉS, HEIN...?
PAS AUTANT QUE TOI !

J'AI CRU PLUSIEURS FOIS QUE C'ÉTAIT LA FIN DU MONDE...
VOUS AVEZ RÉUSSI... HA HA...

AHH !!

!!
HEIN ?

BOUM
!!

LE SAÏYEN ...!!
ÇA VA... IL EST MORT !
ENFOIRÉ...! QUEL MONS-TRE...!
ON DEVRAIT PEUT-ÊTRE CREUSER UNE TOMBE...?

UNE TOMBE POUR VOUS ?

FLOP
!!
!!

CE... C'EST IMPOSSIBLE...!
IL A PRIS LA BOULE DE PLEIN FOUET...

PEUF
PEUF
QU'EST-CE QUE VOUS M'AVEZ FAIT...?
J'AI CRU QUE J'ALLAIS MOURIR ...!

AH... AAAH...!
KEUF.. KEUF..

VOUS M'AVEZ FORCÉ À UTILISER PRESQUE TOUTE MES FORCES...
PEUF
FLOP

LE MOMENT EST VENU DE...
...CRE-VER...!

AH... AAH...

Z... ZUT...!

ZUAAAAH !!

BOOM

AAAAH !!

CHLOPH
FLOP

PFIU...

PEUF
PEUF

PEUF
PEUF

AAH...

HIC
HIC

ILS SONT ENCORE VIVANTS ...!
PEUF
PEUF
ZUT...! JE N'AI PLUS ASSEZ DE FORCE... QUELLE HONTE...

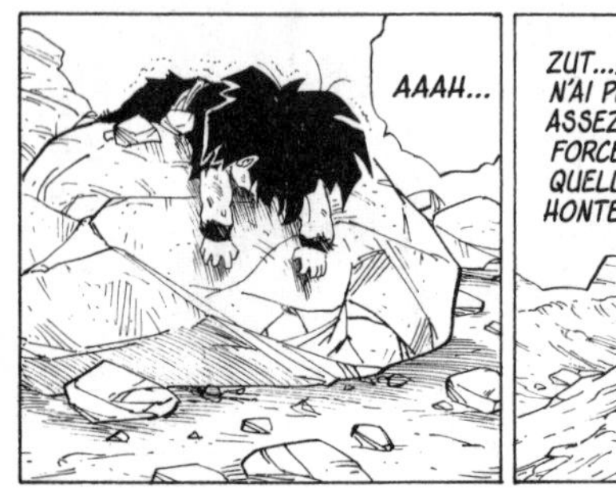
AAAH...

KUUH ...!!

FLOP

TAC

IL FAUT VITE QUE JE LES TUE ET QUE JE ME RE-POSE...
JE SUIS PLUS MAL EN POINT QUE JE NE LE PEN-SAIS...
ZIP
ZIP

AAH...

!!

SA... SA QUEUE A REPOUSSÉ...!

SA... SA QUEUE...!? AHH, OUI...! CELLE DE SANGOKU AUSSI AVAIT REPOUSSÉ IL Y A LONGTEMPS...!

KIIH !

IL NE FAUT PAS QU'IL PUISSE SE TRANSFORMER...!

HEIN !?

!?

TING

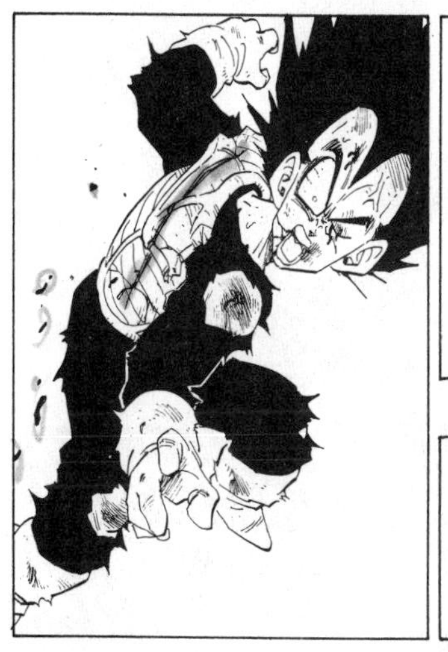

!!

BOUM

PAF

HA...
HA... HA HA...!

HA ! HA ! HA...!
HA ! HA...!

HA ! HA ! HA ! ÇA Y EST ! JE L'AI EU !
ORDURE ! FUMIER ! HÉ ! HÉ ! HÉ !

TU AS VU ?
TU NE PEUX RIEN CONTRE MOI !

AAH...!

HÉE ?

ZUT...! ENFOIRÉ ...!

YAAH !!
ZIP

PEUF
PEUF

JE... JE T'ADMIRE ÉNORMÉ-MENT...! ON PEUT ÊTRE AMIS, NON ?
OH... PARDON ! ÇA T'A FAIT MAL ? JE NE VOULAIS PAS TE BLESSER, MAIS... ÇA T'A COUPÉ...!

PAF
AAH !!

PEUF
PEUF
HA... HAA...!

PLAF

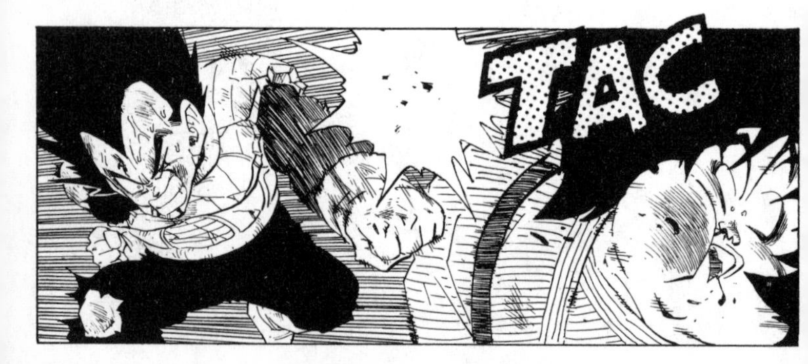
TAC

BOUM

CHLOPH

JE NE TE PARDONNERAI JAMAIS ...!

ZUT...

SAN-GOHAN !!
REGARDE LA BOULE DANS LE CIEL !

!!
BOUM

DANS... LE CIEL ...?

ZUT !!

JE NE TE LAISSERAI PAS FAIRE !!
ZIP

CRÈVE !

GRRR

!!

GWAAAA !!

DRAGON BALL

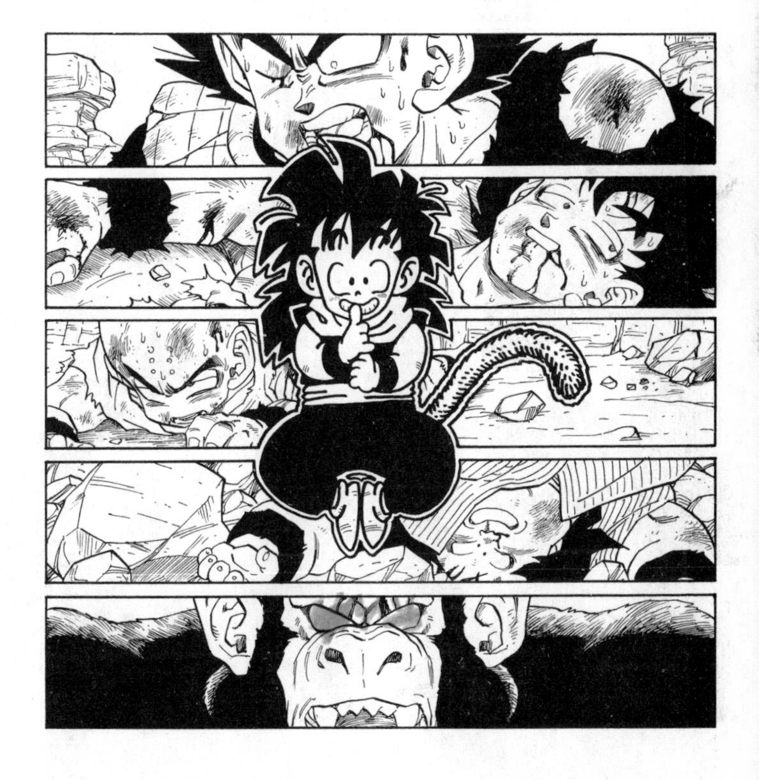

...AAAAA

SA... SALE GOSSE ...!
JE NE TE LAISSERAI PAS TE TRANSFORMER !!
PAF
PAF
PAF

JE DOIS LE TUER ...
...TOUT DE SUITE ...!

AAAA

Z... ZUT !!

J'AI PANIQUÉ, J'AI PERDU MON SANG-FROID...!
MAIS OUI...! SA QUEUE...!

ON JOUE LE TOUT POUR LE TOUT...!
EN SINGE GÉANT...?

S'IL TE PLAÎT, SANGOHAN...!

GRR!!
PLAF

JE N'AI QU'À LUI COUPER LA QUEUE...!
AAAA
GNNN!!

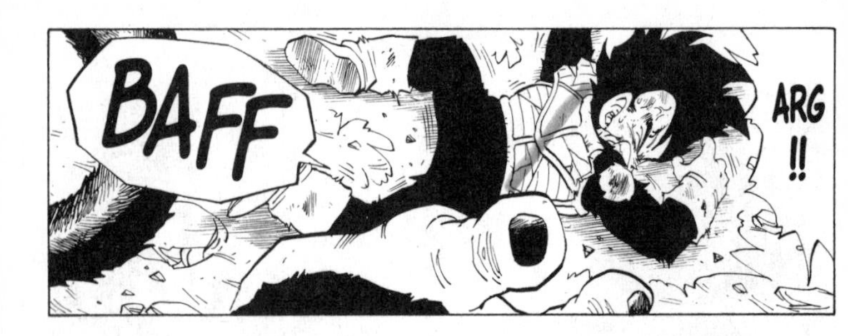
BAFF
ARG !!

GRRR...

GRRR

GRRR...

QUAND SANGOKU SE MÉTAMORPHOSE, IL DEVIENT COMPLÈTEMENT FOU...!
ET SANGO-HAN...?

AAAH ...!

GRRR !!

HAA !!
IL EST COMME SON PÈRE...!
...LORSQU'ILS SE MÉTAMORPHOSENT...
...ILS RETROUVENT LES INSTINCTS TRÈS VIOLENTS DES SAÏYENS...
GRRROUF

SAN... SANGO-HAN... LE SAÏYEN ...!
ATTA-QUE LE SAÏYEN !!

LE... LE PETIT ...!

GRR ...!

G... G... GWAAA... GRRR...

SAN... SANGO-HAN...!

GRR !!

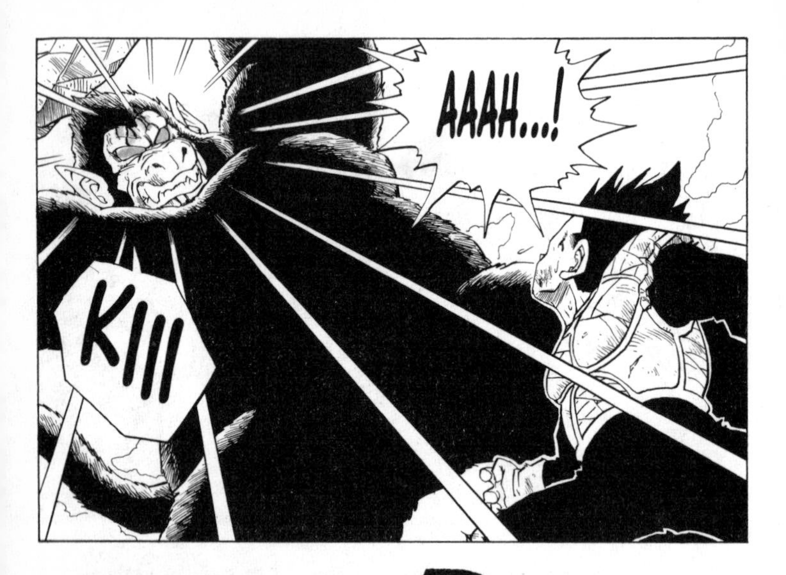
AAAH...!
KIII

BOUM
ZIP

PEUF
PEUF

C'EST NORMAL ! IL... IL EST À MOITIÉ TERRIEN !!
B... BIEN ! IL EST ENCORE À DEMI-CONSCIENT ...!

LA LUNE QUE J'AI CRÉÉE NE DISPARAÎTRA PAS AVANT UNE HEURE... IL FAUT ABSOLUMENT QUE JE LUI COUPE LA QUEUE...!
PEUF
PEUF
Z... ZUT...! SI JE N'ÉTAIS PAS SI MAL EN POINT... MÊME UN OU DEUX COMME LUI NE ME FERAIENT PAS PEUR...!

CHLOPH
HA !!

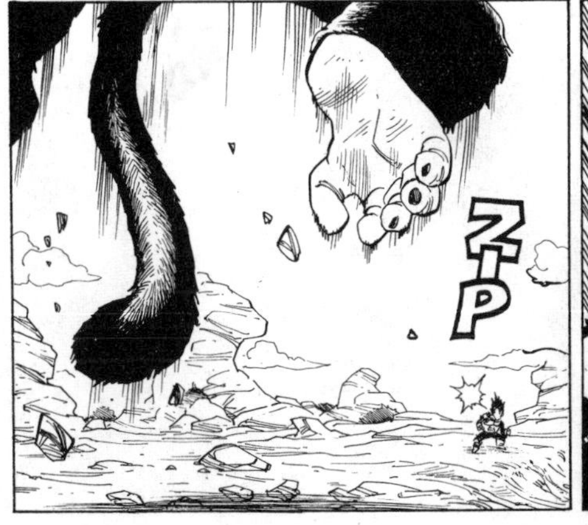
ZIP

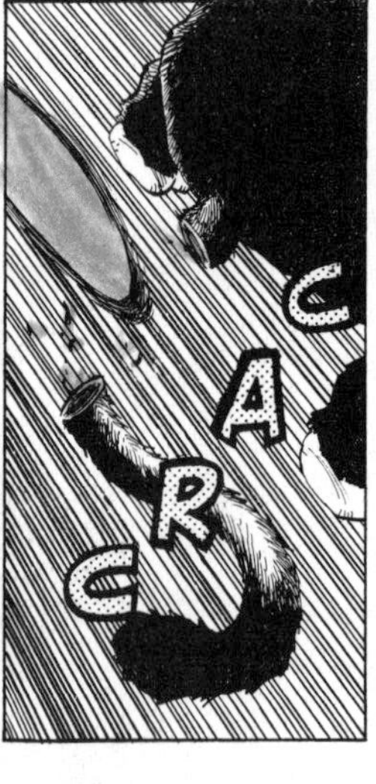
CRAC

!!

VLAF
ENFOIRÉ !!

MON... MON CORPS ...
...NE BOUGE PLUS ...!
NIII !

BOUM
...
AH...
AHH...

FLOP

AH...
AAH...
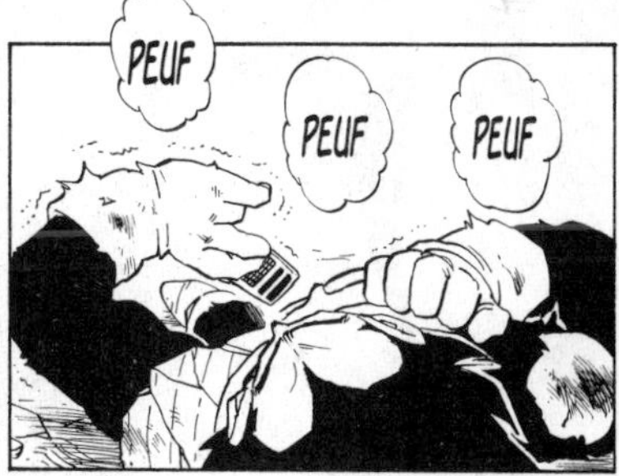
PEUF
PEUF
PEUF

AAAAH
...!

IL EST IMMOR-
TEL, OU
QUOI..?
M...
MAIS...!

PEUF
TOC
PEUF
PEUF
PEUF

BIP
BIIP
PEUF
PEUF

LA CAPITALE DE L'EST DÉTRUITE PAR LES SAÏYENS.

CES DEUX BOULES BIZARRES SONT TOUT CE QUI RESTE DE LA CAPITALE ...
...MAIS IL NE SEMBLE PAS QU'ELLES SOIENT À L'ORIGINE DES DÉGÂTS...
ON DIRAIT DES VÉHICULES...
BIP BIIIP
HEIN ...?
WAAAH !!
GROUM

ELLE S'EST ENVOLÉE...!
AH... AAH...
CHLOPH
...DEVOIR REPARTIR DANS UN TEL ÉTAT...!
JE... JE N'AURAIS JAMAIS PENSÉ...

À SUIVRE...

CHEZ LE MÊME ÉDITEUR

Collection Manga

Par Akira Toriyama

Dragon Ball

Tome 1 : Sangoku
Tome 2 : Kamehameha
Tome 3 : L'initiation
Tome 4 : Le tournoi
Tome 5 : L'ultime combat
Tome 6 : L'empire du ruban rouge
Tome 7 : La menace
Tome 8 : Le duel
Tome 9 : Sangohan
Tome 10 : Le miraculé
Tome 11 : Le grand défi
Tome 12 : Les forces du mal
Tome 13 : L'empire du chaos
Tome 14 : Le démon
Tome 15 : Chi-chi
Tome 16 : L'héritier
Tome 17 : Les Saïyens
Tome 18 : Maître Kaïo
Tome 19 : Végéta
Tome 20 : Yajirobé
Tome 21 : Monsieur Freezer
Tome 22 : Zabon et Doria
Tome 23 : Recoom et Guldo
Tome 24 : Le capitaine Ginue

Dr Slump

Tome 1
Tome 2
Tome 3
Tome 4
Tome 5
Tome 6
Tome 7
Tome 8

Par Kenichi Sonoda

Gunsmith Cats

Tome 1

Par Osamu Tezuka

Le Roi Léo

Tome 1

Astro Boy

Tome 1

Black Jack

Tome 1

Par Rumiko Takahashi

Ranma 1/2

Tome 1 : La source maléfique
Tome 2 : La rose noire
Tome 3 : L'épreuve de force
Tome 4 : La guerre froide
Tome 5 : Les félins
Tome 6 : L'ancêtre
Tome 7 : L'affront
Tome 8 : Roméo et Juliette
Tome 9 : Le cordon bleu

Par Naoko Takeuchi

Sailor Moon

Tome 1 : Métamorphose
Tome 2 : L'homme masqué
Tome 3 : Les justicières de la lune
Tome 4 : Le cristal d'argent
Tome 5 : La gardienne du temps
Tome 6 : La planète Némésis
Tome 7 : Black Lady
Tome 8 : Le lycée Infini
Tome 9 : Uranus et Neptune
Tome 10 : Sailor Saturne

Par Yukito Kishiro

Gunnm

Tome 1
Tome 2
Tome 3
Tome 4
Tome 5
Tome 6
Tome 7

Par Murata/Hamori

Noritaka

Tome 1
Tome 2
Tome 3
Tome 4
Tome 5
Tome 6

Par Kazushi Hagiwara

Bastard

Tome 1
Tome 2
Tome 3

Collection Akira

Par Katsuhiro Otomo

Akira

Tome 1 : L'autoroute

Tome 2 : Cycle wars

Tome 3 : Les chasseurs

Tome 4 : Le réveil

Tome 5 : Désespoir

Tome 6 : Chaos

Tome 7 : Révélations

Tome 8 : Le déluge

Tome 9 : Visions

Tome 10 : Revanches

Tome 11 : Chocs

Tome 12 : Lumières

Tome 13 : Feux

Tome 14 : Consécration

Par Satoshi Shiki

Riot

Tome 1

Tome 2

Par Chabuel/Banzet/Gess/Color Twins

Kazendou

Tome 1

Par Masamune Shirow

Appleseed

Livre 1

Livre 2

Livre 3

Livre 4

Livre 5

Orion

Tome 1

Tome 2

Ghost in the shell

Tome 1

Tome 2

Par Trantkat/Tranoy/Trübe/Morvan/ Color Twins

H.K.

Tome 1

Par Morvan/Buchet/Savoïa/Chagnaud

Nomad

Tome 1 : Mémoire vive

Tome 2 : Gaï-Jin

Par Savoïa/Morvan/Savoïa

Tome 3 : Mémoires mortes

Collection Kaméha

Par Ikegami / Koike

Crying Freeman

Tome 1

Tome 2

Par Okada/Otomo

Zed

Par Minagawa / Takashige

Striker

Tome 1

Tome 2

Par Ikegami / Fumimura

Sanctuary

Tome 1

Par Hisashi Sakaguchi

Ikkyu

Livre 1

Livre 2

Version

Tome 1

Egalement chez Glénat

Par Hayao Miyazaki

Porco Rosso

Tome 1

Tome 2

Tome 3

Tome 4

La légende

Par Masaomi Kanzaki

Street Fighter

Tome 1

Tome 2

Tome 3

Tome 4